prinses fien

Frank Smulders
Tekeningen van Hugo van Look

◄🅱ij▦◆🔊🔤   Zwijsen

fien

het is dag.
het gras is nog nat.
zo vroeg is het.

door het bos loopt een meisje.
ze heet fien.
haar jurk is stuk.
haar voeten zijn bloot.

fien gaat een smal pad in.
nu is ze diep in het bos.
'o,' zucht ze.
'wat is het hier mooi.'
ze plukt een braam.
en een kers.
maar ook een bes.
ze eet ze op.
'smaakt goed,' smakt fien.

fee

'hoi,' zegt ineens een stem.
wie roept dat?
het is een fee.
ze heeft een staf.
de fee danst op het mos.
voet naar voor.
voet opzij.
hup, voet omhoog.
best een leuk dansje.

dan staat de fee stil.
ze kijkt fien lief aan.
ze zwiept met haar staf.
zif, zaf!
dit is wat de fee zegt:
'braam, kers, bes.
als een prins jou kust ...
ben jij een prinses.'

'ik, een prinses?' zegt fien.
de fee knikt.
'hi hi,' lacht fien.
'dat zou wel leuk zijn.
dan ben ik niet arm meer.
weet je wat ik dan koop?
een jurk met glans er op.
en slofjes van goud.'

6

zif, zaf ...
en weg is de fee.
fien loopt weer door.
ze gaat een krom pad in.

eng

opeens staat fien stil.
ze ziet een slang.
vlak bij haar voet.
de slang zegt:
'ga vlug dit bos uit.'
'waarom?' zegt fien.
'het is hier juist zo mooi.'
de slang wijst met zijn kop.
'daar woont een heks.
troel heet ze.
ze is eng!
als ze je ziet, sluit ze je op.
alleen de maan kan haar aan.'

'je praat maar wat,' zegt fien.
'mij maak je niet bang.'
fien loopt stoer door.
ze kijkt om.
ze roept:
'je bent zelf eng.'

huis

fien loopt en loopt.
dan hoort ze een lied.
'roekoe koekoe!'
wat een leuk wijsje.
wie zingt dat?
fien kijkt om zich heen.
het is een duif.
hij hipt van tak naar tak.

'roekoe koekoe!'
hup, hij vliegt naar fiens hand.
fien aait zijn koppie.
de duif is zo lief.
maar dan vliegt hij weg.
'roekoe koekoe!'
fien holt gauw mee.
de duif vliegt naar een huis.
fien holt er ook heen.

fien kijkt.
wat een maf huis!
het is heel smal.
en heel hoog.
het dak raakt de wolken.

floep ...
krijg nou wat!
de duif is geen duif meer,
maar een heks!
'ik ben troel,' krijst de heks.
ze gaat het huis in.
ze trekt fien met zich mee.
pats, de deur slaat dicht.

13

straf

'zo,' zegt troel.
'nu heb ik je.'
'laat me gaan,' kermt fien.
'nee,' zegt troel.
'want jij krijgt straf.'
'waarom?' vraagt fien.
troel lacht.
'omdat ik het zeg.
zie je die steelpan daar?
hij is zwart van het vuil.
poets dat ding tot hij glimt!
pas als hij mooi glimt,
laat ik je vrij.
maar kijk uit, meisje!
als er nog vuil aan zit ...
dan sluit ik je op.
nou, komt er nog wat van?'

fien pakt de steelpan.
ze boent.
ze wrijft.
en ze poetst.
een vies werkje is het.

fien is klaar.
ze ziet zwart van het vuil.
maar de steelpan glimt mooi.
'mag ik nou weg, troel?'
troel schudt nee.
ze zegt:
'aan de steelpan zit nog vuil.'
fien kijkt raar.
'waar dan?'
troel pulkt in haar neus.
aan haar pink zit snot.
dat smeert ze aan de steel.
'nou ... daar,' lacht troel.
'en nu sluit ik je op.'

ze sleurt fien mee,
veel trappen op.
hoog in het huis is een hok.
daar smijt ze fien in.
krik krak ...
de deur gaat op slot.
troel roept:
'daar kom jij niet meer uit!'

fien kijkt om zich heen.
wat een naar hok.
het is er koud en kil.
er is geen bed.
geen stoel.
niks.
alleen een klein raam.

doeg!

het is al nacht.
fien kijkt uit het raam.
'tja,' zucht ze.
'wat nu?
hoe kom ik hier weg?'
ze kijkt naar de lucht.
ze ziet een ster.
en nog een.
de maan is ook al te zien.
kalm zwiert hij door de nacht.
'maan, help me!' roept fien.
de maan gaat naar het raam.
'dag meisje,' zegt hij.
'wat kijk jij sip.
wat is er?'
fien vertelt wat er is.

de maan zegt:
'klim maar op mijn rug.
ik neem je mee.
ik weet een leuk land.
heksen zijn daar niet.'
fien klimt door het raam.

oei, troel holt het hok in.
'wat moet dat!' krijst ze.
maar de maan zweeft al weg.
met fien op zijn rug.
troel is woest.
haar bloed kookt.
'ik krijg jou nog wel, meisje!'
fien zwaait.
'doeg!' roept ze.

20

21

prins

de maan gaat snel.
fien kijkt om.
troel is niet meer te zien.
het huis ook niet.

ver weg ruist de zee.
daar zwiert de maan naar toe.
de maan wijst.
'zie je dat kasteel daar?
op die rots in zee?
daar breng ik je heen.'
'leuk!' zegt fien.
na een poos daalt de maan.
ze zijn er.
fien stapt af.
de maan suist weg.
fien wuift hem uit.

bij het kasteel is een tuin.
daar gaat fien in.
ze kijkt naar het kasteel.
uit een raam leunt een prins.
hij zegt:
'wat een arm meisje ben jij.
je jurk is stuk.
je voeten zijn bloot.
kom maar vlug in mijn kasteel.
eet je mee?
ik bak friet.
een schaal vol.'

fien rent het kasteel in.
ze is gek op friet.
ze eet de schaal leeg.
er is ijs met room toe.
oeps, ze laat een boer.
de prins lacht.
fien lacht mee.

kus

ze staan in de tuin.
fien en de prins.
in het licht van de maan.
de prins kijkt naar fien.
hij pakt haar hand.
'weet je?' zegt de prins.
'ik vind jou heel leuk.
daarom kus ik je.'
smak ...

zif, zaf ...
nu is fien een prinses.
dit heeft ze aan:
een jurk met glans.
en slofjes van goud.
en ze heeft een kroon op.

Zonnetjes bij kern 5 van Veilig leren lezen

1. de kat met laarzen
Annemarie Bon en Marijke van Veldhoven

2. een veer voor een verhaal
Wouter Kersbergen en Gerd Stoop

3. prinses fien
Frank Smulders en Hugo van Look